Collection dirigée par Jeanine et Jean Guion

Dans ton livre, tu trouveras :

• les mots difficiles expliqués page 53

• les bonnes réponses des questions-dessins à la fin.

Conception graphique : Klara Corvaisier • Mise en page : Jehanne Fitremann
Adaptation 3D du personnage de Ratus : Gabriel Rebufello
Création du monde de Ratus et scénarios des dessins : J. & J. Guion
Photographies : Jean Guion

Loi n°49 956 du 16 juillet 1949 sur les publications destinées à la jeunesse.
ISBN : 978-2-218-98776-2 • Dépôt légal : 98776 2 / 02 - mai 2016
Achevé d'imprimer par Pollina à Luçon – France - L76226

Le jeu vidéo de Ratus

Une histoire de Jeanine et Jean Guion
illustrée par Olivier Vogel

Jeannette
Ratus
Le directeur
de l'école
Marou
Mina
Victor
Belo

Des tératotis
Le sphinx
Un grogne-babines
Le cousin Dézile
Les personnages de l'histoire

1
Prisonnier du jeu

À peine rentré de l'école, Ratus s'installe devant son ordinateur. Et il joue. Il joue tard le soir, très tard. Parfois, il est si fatigué qu'il s'endort devant son écran et continue à jouer dans ses rêves ! Le lendemain, en classe, il a du mal à garder les yeux ouverts et il dit de drôles de choses.

Ce matin, la maîtresse l'a interrogé :

– 6 et 3, ça fait combien ?

Ratus a répondu très vite :

– Neuf, un œuf en or avec une clé dans l'œuf pour ouvrir la porte du trésor.

Jeannette a posé sa main sur le front du rat vert et l'a trouvé chaud. Elle a appelé le directeur qui a d'abord regardé Ratus comme on regarde un menteur. Ensuite, il lui a demandé :

– 4 et 3, ça fait combien ?

– Sept, c'est un nombre magique. Il mène au trésor du château.

Le directeur est devenu tout rouge, comme si Ratus se moquait de lui.

– Et 40 et 60 ?

– Ça fait cent, sans moi la princesse ne sera pas délivrée des monstres…

Le directeur en a conclu que Ratus était réellement malade et il a dit à Jeannette :

– Il est complètement fou, je ne peux pas le garder dans mon école.

Il a appelé le médecin scolaire qui a déclaré au premier coup d'œil :

– Il est tout vert : c'est la verdéole. Il faut qu'il rentre chez lui, se couche et dorme pendant trois jours. Sans oublier un cachet de calculomol à prendre matin et soir.

1

2

Belo est venu chercher le malade pour le ramener chez lui.

– Il faut que tu te reposes, mon petit Ratus, a dit le grand-père chat. Marou et Mina viendront te voir ce soir, après la classe.

Aussitôt Belo parti, Ratus a fermé sa porte à clé. Mais au lieu de se coucher, il s'est assis devant son ordinateur.

– Je vais jouer à un nouveau jeu. Si je trouve le trésor, il sera à moi !

Qui apparaît sur l'écran de Ratus ?

En trois clics, une musique inquiétante sort des haut-parleurs, un désert de rochers apparaît et de gros nuages noirs arrivent de l'horizon.

Un lapin blanc traverse l'écran.

– Vite, mets-toi à l'abri, il va pleuvoir ! crie-t-il en se sauvant.

Ratus se lance à sa poursuite. Il court et se retrouve bientôt dans une vaste grotte. Dehors, la pluie tombe à verse, le tonnerre roule et gronde, la foudre claque, des éclairs illuminent le ciel.

Ratus est seul face à son écran. Il sait qu'il joue et il n'a pas peur. L'orage, c'est juste dans le jeu.

– Lapin, qu'est-ce qu'on fait ?

– Tu fais ce que tu peux ! ricane le lapin.

Moi, je m'en vais. Je ne joue plus.

Et soudain, les choses changent.

Plus de musique, juste le crépitement de la pluie. L'écran est zébré par les éclairs de la foudre. Tout disparaît et un grognement monte du fond de la grotte. Le grognement d'un ogre…

Ratus prend peur. Il veut arrêter le jeu, cherche un endroit pour cliquer, mais il ne trouve rien. Il tend la main vers son écran, mais il n'y a plus d'écran ! Même pas un bouton pour couper l'ordinateur. Et plus d'ordinateur ! Plus de chaise ! Même sa table a disparu…

Il est debout dans la grotte, tout seul. Et le grognement de l'ogre qui ne s'arrête pas…

Ratus essaie de fuir, mais une paroi de verre l'empêche de passer. Pas de doute, il est prisonnier de son jeu.

7

Il appelle :

– Hé, lapin blanc, où tu es ?

Aucune réponse, sauf la silhouette du lapin blanc qui apparaît sur un rocher, là-bas, dans le fond, vers le grognement…

2

Le monde des grogne-babines

Ratus s'approche de la silhouette, il essaie de la toucher, mais voilà que le rocher s'écarte, comme pour le laisser passer.

– Que fais-tu là ? demande un géant qui a la tête du directeur de l'école.

– Euh... répond Ratus, j'ai la verdéole, alors je reste chez moi.

– Tu n'es pas chez toi ! crie le géant. Tu as pénétré dans la vallée des grogne-babines. Et ils n'aiment pas ça !

– Euh... les grogne-babines, qui c'est ?

– Ce sont des monstres. Si tu dois les

affronter, il te faut quelque chose pour te défendre. Essaie de prendre le sabre qui est accroché là-bas à la branche de l'arbre, mais attention ! C'est celui du grogne-babines qui monte la garde. Il ne te laissera pas faire. Il a déjà capturé Marou et Mina, et il va les manger tout crus au repas de ce soir. Mais comme il est bête et que tu es malin, je suis sûr que tu peux arriver à lui voler son sabre.

8

Ratus n'hésite pas. À l'idée de sauver ses copains, il retrouve tout son courage.

– Si Mina est en danger, je dois y aller !

Et d'un pas décidé, il s'approche du monstre qui est assis au pied de l'arbre.

– Salut, moche-babines. Je suis le rat vert, je suis malade, j'ai la verdéole. C'est

Que doit prendre Ratus au grogne-babines ?

très contagieux. Je suis immangeable!

Le grogne-babines éclate d'un gros rire méchant et baveux.

– Ah, ah, ah ! la verdéole, et pourquoi pas la sucettole? C'est une maladie de bébé!

– Tu te trompes, répond Ratus. C'est une maladie terrible. Elle rend idiot. La preuve que je suis devenu idiot? C'est que je n'ai pas peur de toi. Si j'étais malin, je me sauverais!

– Ça, c'est vrai, fait le monstre.

Il regarde ses mains, puis reprend :

– Elles ne sont pas vertes, donc je n'ai pas pris ta maladie.

– Oh, que si! dit Ratus. Avec la verdéole, on commence par devenir vert à l'intérieur. Au début, ça ne se voit pas.

– Je suis vert dedans ? demande le monstre, soudain inquiet.

– Tout vert, comme les épinards, répond Ratus. Mais tu peux guérir. Si tu vas te tremper dans l'eau tout de suite, la maladie s'arrêtera, mais il faut faire vite. Très vite !

Là-dessus, le grogne-babines prend ses jambes à son cou et court se jeter dans la rivière. Bien sûr, il a oublié son sabre !

Ratus grimpe aussitôt à l'arbre et s'en empare. Il l'accroche à sa ceinture et se sauve aussi vite qu'il peut.

3
Les crocodiles

En chemin, Ratus rencontre une troupe de grogne-babines et les envoie se tremper dans l'eau à leur tour. Mais l'un d'eux ne veut pas y aller en disant que l'eau lui donne des boutons. Comme il a l'air gentil, Ratus ne se méfie pas.

– Je vais t'aider, dit le monstre. Regarde au sommet de la montagne.

Un château se dresse sur un pic rocheux. Un sentier à flanc de montagne y conduit.

– Tu dois passer par là si tu veux sauver tes copains. Ils sont prisonniers là-haut et

Que se passe-t-il dans l'histoire ?

il n'y a pas d'autre chemin pour aller au château. Je vais te guider, mais attention à ne pas glisser. Enlève ton sabre de ta ceinture, il va te gêner.

– Pas question ! répond le rat vert. Je l'ai gagné, je le garde.

Et il suit le grogne-babines qui marche devant lui. Peu à peu, le sentier devient de plus en plus étroit, des cailloux roulent sous leurs pieds et tombent dans le précipice.

– Si tu as le vertige, appuie-toi contre la paroi, dit le grogne-babines.

Malheur ! Ratus l'écoute et voilà que le rocher bascule. La montagne s'ouvre et le rat vert tombe dans le vide.

– Et de trois ! fait le monstre.

Plouf ! Ratus se retrouve dans un lac

souterrain où dorment des crocodiles. Une chance : il n'a pas perdu son sabre qui est toujours accroché à sa ceinture.

– Beurk ! fait un crocodile, réveillé en sursaut. Qu'est-ce que c'est que cette bête à grandes oreilles qui vient polluer l'eau de notre lac ?

12

Ratus parle de la verdéole pour essayer de faire peur aux crocodiles, mais ça ne marche pas. Ils disent qu'ils s'en moquent, qu'ils sont déjà verts et qu'ils mangent n'importe quoi, même du rat vert.

– Tout à l'heure, on a failli manger du chat bleu et du chat rose.

Marou et Mina ! À ces mots, Ratus nage de toutes ses forces, poursuivi par les crocodiles. Clac, clac font leurs mâchoires.

Clac, clac, clac… C'est alors qu'une voix retentit : le lapin blanc !

– Sur le manche de ton sabre, il y a un bouton. Utilise-le.

Les mâchoires approchent, essaient de mordre le rat vert. Malgré le danger, Ratus tâte la poignée de son sabre, se retourne et appuie sur le bouton. Un éclair rouge jaillit de la lame, siffle et touche un crocodile qui explose. Un autre éclair, puis un autre et encore un autre ! Tous les crocodiles disparaissent. Ratus est sauvé !

– Bien joué ! s'écrie la voix du lapin blanc. Maintenant, rejoins-moi, tu dois délivrer tes amis.

Ratus grelotte quand il sort de l'eau. Le lapin blanc le salue et disparaît à nouveau.

À la place, il y a Victor qui semble bien embarrassé.

– Qu'est-ce que tu fais dans mon jeu ? lui demande le rat vert.

– Moi aussi, comme toi, j'ai joué et j'ai été prisonnier du jeu. Mais j'ai perdu contre les grogne-babines et les crocodiles avaient prévu de me manger après leur sieste. Alors, je me suis caché pendant qu'ils dormaient. Heureusement, tu es arrivé à temps pour me délivrer. Merci, Ratus !

4

L’épreuve du sphinx

Ratus et Victor s’éloignent du lac et entrent dans une grotte éclairée par des flambeaux. Ils aperçoivent une cage dorée suspendue à des câbles.

– On dirait un ascenseur, dit Ratus. Il doit mener au château et au trésor.

– Euh… fait Victor. Je monte à pied…

– Froussard ! Moi, j’y vais. Il faut que je sauve Mina.

Ratus entre dans la cage qui démarre aussitôt et s’élève jusqu’au château. Mais là, une sorte de lion lui barre le chemin.

Qui empêche Ratus d'entrer au château des tératotis ?

– Tu es dans le royaume des tératotis ! Je suis le sphinx de leur château. Celui qui veut entrer doit répondre à ma question.

Ratus appuie aussitôt sur le bouton de son sabre pour se débarrasser de lui, mais rien ne se produit.

– Ah, ah, ah ! puisque tu as essayé de me tuer avec ton arme ridicule, je ne te poserai pas une question, mais deux. Et si tu te trompes une seule fois, tu seras dévoré par les tératotis. Regarde ce qu'ils ont déjà à manger pour ce soir…

Une prison apparaît en face de la cage dorée. À l'intérieur, il y a Mina, Marou, Belo, le directeur de l'école, Jeannette la maîtresse, M. Labique le marchand de fromage et le cousin Dézile ! Si Ratus ne les sauve pas, ils disparaîtront dans le ventre des tératotis.

– Je suis prêt, dit Ratus en serrant la poignée de son sabre, le doigt sur le bouton.

– Quelle différence y a-t-il entre un pingouin et un manchot ?

Le rat vert sourit. Il a vu un film sur ces animaux à la télévision.

– Ce sont des oiseaux.

– Je t'ai demandé la différence !

– Euh… attends, monstre, je réfléchis à haute voix.

Pas un mot dans la prison, juste des claquements de dents. La peur.

Ratus va-t-il réussir ? Sa voix tremble quand il ajoute :

– Les pingouins vivent au nord de la

Terre, les manchots vivent au sud.

– C'est vrai, gronde le sphinx, mais ce n'est pas la réponse que je veux entendre.

– Euh… ce sont des oiseaux…

– Tu l'as déjà dit.

– Les pingouins volent, les manchots nagent et ne volent pas.

Le monstre grogne de colère. Ratus a bien répondu.

– C'est juste, mais passons à la seconde question. Voici quatre photos : quelle est celle du manchot royal ?

– Fastoche, dit Ratus, c'est le plus grand des quatre, celui qui a l'air fier comme un roi. Il lui manque juste une couronne !

Il montre la photo d'un manchot dont le cou est d'une jolie couleur orangée.

Quelle est la réponse à la deuxième question du sphinx ?

Au même moment, son doigt, qui appuyait sur le bouton du sabre, déclenche un rayon de lumière rouge qui va frapper le sphinx et le pulvérise.

16

Un autre rayon siffle et les grilles de la prison tombent.

Des cris de joie résonnent :

– Vive Ratus ! Merci Ratus !

C'est alors que Victor apparaît. Il a monté soixante-quatre étages à pied ! Il souffle, il transpire, ses genoux tremblent de fatigue.

Il regarde Ratus et se couche par terre sans un mot, épuisé.

5
L'épreuve des portraits

Lorsque Ratus et ses amis entrent dans la cour du château, un gros oiseau surgit dans le ciel. Il vole à grands coups d'ailes puissants. Soudain, il fond sur Mina, la saisit dans ses serres et l'emporte. Vite, le rat vert lève son sabre, mais un autre oiseau l'attaque par derrière et le menace de son bec crochu. Ratus se défend, il appuie sur le bouton, mais les rayons rouges manquent leur cible.

17 18 19

– Perdu ! piaille l'oiseau. Tous tes amis vont finir dans le ventre des tératotis. Seule la magie pourrait encore les sauver, mais tu n'es pas magicien. Tant pis pour toi.

– Moi, je le suis ! dit soudain une voix.

C'est le cousin Dézile, le magicien capable de transformer un biniou en guitare des îles.* Il sort une baguette de sa poche et vise l'oiseau qui essaie de blesser Ratus.

– *Abracacazozio ! Abracacaperruche !*

Et l'oiseau effrayant devient une jolie petite perruche qui se pose sur l'épaule du rat vert.

– Merci, cousin ! dit Ratus, soulagé.

Mais quand le cousin Dézile veut sauver Mina, il est trop tard : elle a disparu !

– Il faut la retrouver ! dit le grand-père chat. L'oiseau l'a sans doute emmenée dans

---

* Voir *Ratus, gare au sorcier !* niveau 4.

une prison du château. Allons voir !

Tout le monde part à sa recherche, Ratus en tête, suivi par Marou et Belo, puis par tous ceux qu'il a libérés.

Victor, encouragé par Jeannette, s'est relevé. Il court maintenant dans les couloirs du château pour rattraper Ratus.

– Je vais t'aider, dit-il. Je peux mettre K.O. un monstre d'un seul coup de poing.

Justement, comme ils arrivent devant la salle du trône, deux gardes à tête de loup les empêchent de passer. Bien sûr, Victor se précipite vers eux pour les boxer, mais ils ne se laissent pas faire et le gros chien se retrouve assis sur le derrière avec des étoiles qui dansent autour de sa tête.

Heureusement, Ratus est plus malin

que Victor. Il montre son sabre et affirme que c'est un cadeau que le roi lui a offert.

– Tu connais notre roi ? demande un garde, méfiant. Alors, montre-le-nous.

Quatre portraits s'affichent sur le mur de la salle. Aïe ! Si Ratus se trompe et ne désigne pas le bon roi, lui et ses amis seront dévorés par les tératotis car il n'aura pas le temps de pulvériser deux gardes avec un seul sabre.

– Euh... fait Ratus.

Il hésite. Il ne doit pas se tromper.

Marou, qui se tient tout près de lui, voudrait bien l'aider, mais il ne connaît pas la réponse.

Le garde se fait menaçant.

– Dépêche-toi. Montre notre roi.

Quel est le roi des tératotis ?

Le cousin Dézile s'approche alors de Ratus et lui souffle à l'oreille :

– Le garde pense à un tigre.

Ratus n'hésite pas. Avec son sabre, il vise le portrait du roi qui a une tête de tigre. Il appuie sur le bouton et les gardes se trouvent réduits en poussière.

– Bravo Ratus ! s'écrie Marou.

– Vive Ratus ! Vive Ratus ! crie Victor.

Et tout le monde applaudit le rat vert.

6
L’épreuve du pygargue

Ratus entre maintenant dans la salle du trône. Elle est vide. Pas de roi, pas de trésor, et Mina n’est pas là !

– Zut, fait Ratus, la partie n’est pas terminée. Il faut que je délivre Mina, mais il faut d’abord que je trouve le trésor. C’est la règle du jeu.

Il sort sur la terrasse et demande à son cousin de transformer en parapente la perruche qui est revenue sur son épaule.

21

– Facile, répond le cousin, en agitant sa baguette magique : *abracacaparapente* !

Une aile jaune à dessins bleus apparaît. Ratus s'assoit aussitôt sur la sellette qui y est attachée.

– Cousin, dit-il, avec ta magie, protège tous mes amis des monstres !

– D'accord, mais dépêche-toi de trouver le trésor. Après, reviens et on cherchera Mina tous ensemble.

Un coup de vent soulève le rat vert et l'emmène au-dessus de la vallée. Il vole haut dans le ciel. De temps en temps, des oiseaux monstrueux l'attaquent, mais son sabre lui permet chaque fois de les réduire en poussière. Il ne sait pas où aller. Tout autour de lui, la montagne est trop haute pour qu'il puisse la franchir. Et pas question de revenir en arrière sans le trésor.

Soudain, il aperçoit quelque chose qui ressemble à l'entrée d'un tunnel. Il se dit que le trésor est peut-être caché dedans. Accroché à son parapente, il tourne dans le ciel et observe la situation. Quatre chemins y conduisent, mais il ne pourra pas passer : sur chacun d'eux, un animal sauvage monte la garde.

Ratus décide de descendre malgré tout. Il est en train de se poser quand un rapace [25] à tête blanche laisse tomber un message à ses pieds :

« *Le plus paisible te laissera passer.* » [26]

– Hé, l'aigle ! crie Ratus, le plus paisible, c'est lequel ?

– D'abord, répond le rapace, je ne suis pas un aigle, mais un pygargue. [27]

– Dis, pirogue, je vois un éléphant, un rhinocéros, une lionne et un bison. Ces animaux n'ont rien de paisible. Ils ont tous mauvais caractère.

– Sers-toi de ta cervelle et tu trouveras la solution, répond le pygargue, vexé que Ratus ait déformé son nom.

Puis il s'envole et disparaît dans le ciel.

« Le plus paisible, se dit Ratus, ce n'est sûrement pas la lionne : elle marche de long en large. Elle a l'air énervé. Elle doit chercher de la nourriture pour ses petits et ça ne la gênerait pas de nourrir ses lionceaux avec du rat vert ! »

« Et l'éléphant ? C'est une maman : je devine un petit caché derrière elle. Si je m'en approche, elle croira que je veux embêter son éléphanteau et je recevrai un grand coup de défenses dans le derrière. Un éléphant, ça trompe ! »

Et Ratus continue de réfléchir :

« Le bison ? C'est un animal qui mange de l'herbe, pas du rat vert, mais celui-ci n'a pas l'air franc. Et en plus, il baisse la tête, prêt à foncer comme un taureau. Il a l'air mauvais. Je m'en méfie. »

« Reste le rhino. Il fait la sieste. Ça, c'est très bon signe. Les gens qui font la sieste sont en général gentils, comme Belo. Je vais m'approcher pour pouvoir lui parler, mais pas trop près. Je ne suis pas fou ! »

– Salut, rhino ! lui crie-t-il de loin.

– Pas si fort, dit le rhinocéros, tu vas me réveiller.

– C’est très sage de faire la sieste, lui dit Ratus en baissant la voix. S’il te plaît, rhino, est-ce que je peux m’approcher pour entrer dans le tunnel ?

– Ce n’est pas un tunnel, c’est une mine. Tu pourras même jouer avec les wagonnets si tu veux, mais à condition de ne pas faire *tchou-tchou* et de ne pas siffler comme une locomotive.

Là-dessus, le rhinocéros se rendort et Ratus entre dans la mine.

Soudain, un panneau clignote. « Mine d’or. Intrusion ! Intrusion ! Dans trois minutes, explosion ! »

Qui a permis à Ratus d'entrer dans la mine ?

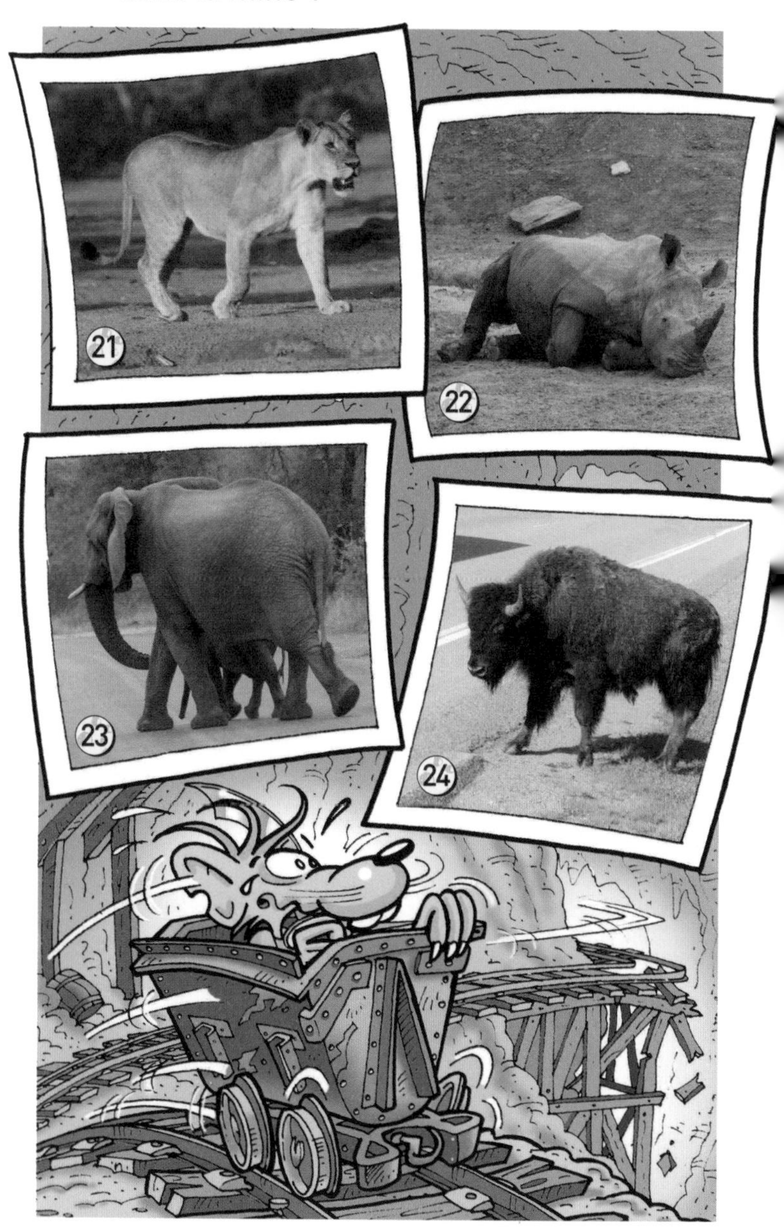

7

Il faut sauver Mina !

Ratus n'hésite pas. Il serre son sabre contre lui, pousse un wagonnet et saute dedans. Il roule de plus en plus vite dans les galeries de la mine. Il fonce en cahotant sur des rails en mauvais état. Il longe un précipice, passe sur un pont très étroit. Il a le vertige et se cramponne de toutes ses forces, mais sans lâcher son sabre. Plus que deux minutes !

Le wagonnet ralentit, puis s'arrête dans une grotte. C'est alors que Ratus entend la voix de Mina.

– Au secours ! Au secours !

Vite, il escalade un rocher et aperçoit sa copine attachée à un totem. Un peu plus loin, il y a des coffres pleins d'or et de pierres précieuses. Et sur les pierres précieuses, le lapin blanc !

– Tout va exploser dans une minute, dit le lapin. Tu dois choisir : ou tu emportes le trésor ou tu détaches Mina. Tu n'as pas le temps de faire les deux.

Plus que 55 secondes…

Ratus hésite. Toutes ces pièces d'or et ces bijoux ! Ces épées en or, ces couronnes avec des diamants, ces boucliers incrustés de rubis et d'émeraudes !

Plus que 50 secondes…

– Au secours, Ratus ! crie Mina.

Le rat vert n'écoute que son cœur. Il court vers sa copine pour la détacher, mais ses liens sont solidement noués.

– Vite, Ratus, insiste Mina.

Plus que 40 secondes…

La corde résiste. Il essaie avec son sabre, mais la lame est en mauvais état : les éclairs ont usé sa partie tranchante. Elle ne réussit pas à couper la corde. Il faudrait pouvoir l'aiguiser. Et voilà que Ratus aperçoit une bombe cachée derrière sa copine ! Ses mains se mettent à trembler. Des bâtons de dynamite sont reliés à un réveil par des fils de couleur.

– Vite, dépêche-toi ! supplie la petite chatte.

Des chiffres défilent sur le cadran du

réveil. 32… 31… 30…

Plus que 30 secondes !

Le rat vert se précipite vers le trésor.

– Non, Ratus, ne me laisse pas !

Il saisit une épée en or, revient vers Mina et coupe la corde qui la retenait prisonnière.

Plus que 20 secondes…

– Merci, Ratus ! dit la petite chatte en lui faisant une grosse bise. Tu m'as sauvée.

15 secondes…

Ratus prend Mina par la main et l'entraîne vers le wagonnet.

– Saute vite dedans !

Il saute à son tour.

Plus que 10 secondes…

– Ça va exploser, crie-t-il.

Plus que 9 secondes…

Il appuie sans hésiter sur le bouton de son sabre. C'est ce qu'il fallait faire. Le wagonnet démarre et prend de la vitesse.

Plus que 7 secondes…

– Si on ne déraille pas, on aura gagné ! s'écrie Ratus.

Il appuie à nouveau sur le bouton rouge et le wagonnet accélère encore. Plus que cinq secondes. Trois… deux… une…

L'explosion fait sursauter Ratus.

Il ouvre les yeux, regarde autour de lui : il est dans sa chambre, assis devant son ordinateur. Sur l'écran, un message :

« Tu n'as pas le trésor de la mine,
mais tu as sauvé ton héroïne.
Bravo, tu as gagné ! »

« C'est sûrement le lapin blanc », se dit Ratus.

Il entend des pas derrière lui. Il se retourne et reconnaît ses amis les chats.

– Tu ne répondais pas au téléphone, dit Belo, et on se faisait du souci pour toi. Alors, on est venus. Comme j'ai une clé de ta maison, on a pu entrer. Comment vas-tu ?

– Euh… je… j'ai encore la verdéole.

– Taratata, dit le grand-père chat, tu as toujours été vert, tu n'es pas malade. Tu joues beaucoup trop sur ton ordinateur, c'est tout. Une bonne nuit de sommeil et tu seras en pleine forme. Demain, il faut que tu retournes à l'école.

« Tant pis », se dit Ratus.

Il va vers son lit et se couche, aussi épuisé que Victor quand il avait monté soixante-quatre étages à pied.

Il est heureux. Dans son jeu, il n'a pas gagné le trésor, mais il a sauvé Mina des monstres.

Il fait signe à Belo d'approcher et lui chuchote à l'oreille :

– Ça valait le coup d'avoir la verdéole et de manquer l'école, Mina m'a fait un bisou.

Et Ratus s'endort en souriant.

Retrouve ici
les mots expliqués
pour bien comprendre
l'histoire.

la verdéole
Nom de maladie inventé à partir du mot *vert*.

calculomol
Nom de médicament inventé à partir du mot *calcul*.

un clic
Quand on appuie une fois sur la souris de l'ordinateur.

à verse
Une pluie très forte.

le crépitement
Suite de petits craquements.

zébré
Avec des rayures qui font penser au zèbre.

une paroi de verre
Un mur en verre.

affronter
Faire face à un danger.

contagieux
Qui se transmet facilement d'une personne à une autre.

un pic rocheux
Montagne au sommet pointu.

à flanc de montagne
Sur un côté de la montagne.

polluer
Salir.

grelotter
Trembler de froid.

un flambeau

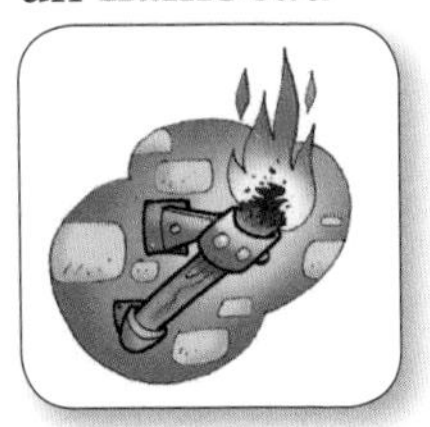

un câble
Grosse corde en métal, faite avec des fils tressés.

pulvériser
Réduire en poussière.

il fond sur
L'oiseau tombe d'un seul coup sur sa proie.

les serres
Les griffes de certains oiseaux.

une cible
Ce que l'on vise quand on tire.

mettre K.O.
Assommer.

un parapente
Parachute rectangulaire pour voler en partant d'une montagne.

une aile
Nom de la partie en tissu du parapente.

une sellette
Le petit siège du parapente.

franchir
Passer par-dessus un obstacle.

un rapace
Oiseau carnivore, au bec puissant et aux ongles forts et crochus.

paisible
Calme, tranquille.

un pygargue
Gros oiseau à tête blanche qui ressemble à un aigle.

vexé
Fâché, pas content.

une défense d'éléphant
Nom de chaque dent très longue et recourbée de l'éléphant.

l'air franc
À qui on peut faire confiance.

une mine
Terrain creusé pour extraire un minerai comme le charbon ou un métal comme l'or.

un **wagonnet**
Petit chariot sur rails.

clignoter
S'allumer et s'éteindre
sans arrêt.

une **intrusion**
Quand on entre sans
en avoir le droit.

une **galerie**
Sorte de tunnel dans
une mine.

en **cahotant**
En étant secoué.

longer
Avancer le long
de quelque chose.

un **totem**
Sorte de mât sculpté.

incrusté
Décoré avec des pierres
précieuses qui sont fixées
dans les objets en métal.

un **rubis**
Pierre précieuse
de couleur rouge.

une **émeraude**
Pierre précieuse
de couleur verte.

aiguiser
Rendre coupant.

Découvre d'autres histoires dans la collection :

7•8 ans
et +
niveau
3
BONS
lecteurs

Des histoires bien adaptées
aux jeunes lecteurs,
avec des questions-dessins
et des jeux de lecture.

10

12

14

23

29

27

Et aussi...

8•10 ans
et +
niveau
4
TRÈS BONS
lecteurs

Des histoires plus longues, pour le plaisir de lire avec Ratus et ses amis.

19

34

18

20

25

38

À bientôt !

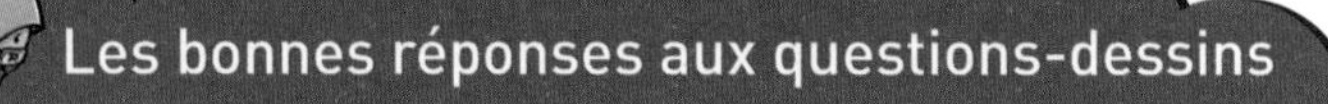

Les bonnes réponses aux questions-dessins

Tu es un super-lecteur si tu as trouvé
ces 7 bonnes réponses :

3, 4, 7, 10, 14, 18, 22.

PAPIER À BASE DE
FIBRES CERTIFIÉES

Hatier
s'engage pour
l'environnement en réduisant
l'empreinte carbone de ses livres.
Celle de cet exemplaire est de :
400 g éq. CO_2
Rendez-vous sur
www.hatier-durable.fr

IMPRIM'VERT
Votre imprimeur agit pour l'environnement